GÉRARD GRÉE

Martine
fait du camping

Wendy Holmes
her book
from
Grandpa Lowell
and Grandma Ellie

GILBERT DELAHAYE - MARCEL MARLIER

Salem, Virginia
August 27, 1977
bought at
Lausanne, Switzerland

La collection FARANDOLE est publiée en :

Afrikaans : WARD LOCK,	Cape Town	*Islandais :* FJÖLVI, Reykjavik
Allemand : SCHREIBER,	Esslingen	*Italien :* LA SORGENTE, Milan
Américain : HART,	New York	*Macédonien :* KULTURA, Skoplje
Anglais : WARD LOCK,	Londres	*Néerlandais :* CASTERMAN, Doornik-Utrecht
Catalan : JUVENTUD,	Barcelone	*Norvégien :* DAMM, Oslo
Croate : MLADOST,	Zagreb	*Portugais :* VERBO, Lisbonne
Danois : HOLST,	Copenhague	*Roumain :* TINERETULUI, Bucarest
Espagnol : JUVENTUD,	Barcelone	*Serbe :* FORUM, Novi Sad
Finlandais : OY PALETTI,	Helsinki	*Slovène :* JUGOREKLAM, Ljubljana
Grec : PAPADOPOULOS,	Athènes	*Suédois :* LINDQVIST, Stockholm
Hébreu : PICTURES CENTRE,	Tel Aviv	*Turc :* SÜMER YAYINEVI, Istanbul

ISBN 2-203-10109-1

Le long de la grand-route, une voiture vient de
s'arrêter. C'est Martine et Jean qui s'en vont faire du
camping avec leurs parents. On dirait qu'ils ont perdu
leur chemin. Qui pourra les renseigner?

— Ah! voici un poteau indicateur.

— C'est par là, dit Martine.

Et la voiture démarre dans un nuage de poussière.

Bientôt, ils arrivent au village. Un village coquet avec son église, son école, son auberge et ses maisons assises autour de la place.

Justement, c'est le jour du marché. Voici monsieur le maire qui vient vendre ses canards, le panier sous le bras, la pipe à la bouche.

Il lève sa canne pour indiquer la route :

— Fleury-la-Rivière? Mais vous y êtes! Vous y êtes! Et le Carré-du-Petit-Bois, c'est là-bas... juste derrière la ferme blanche.

Le moteur ronfle. Un chemin poussiéreux, un pont de bois qui craque, et l'on est arrivé au Carré-du-Petit-Bois de Fleury-la-Rivière.

Le papa de Martine range l'auto sous les arbres. On décharge les bagages.

— Maintenant, dressons la tente.

Pan, pan, pan, les piquets s'enfoncent dans la terre. Les cordes se tendent... Il fait chaud!

La tente de Martine est en place.

N'est-ce pas qu'elle est jolie? On dirait une maison de poupée.

Thérèse et Dominique, les filles de la ferme, sont venues l'admirer. Elles voudraient bien en avoir une pareille pour s'amuser pendant les vacances.

— Est-ce que je peux entrer là-dedans?

— Bien sûr, la porte est ici. Il y a une fermeture éclair du haut en bas.

— Et voilà notre matelas pneumatique.

— Tu en as de la chance, dit Thérèse. Nous autres, à la ferme, nous avons un lit de plumes. On a trop chaud. Alors on ne peut pas dormir et on raconte des histoires.

— Voulez-vous m'aider à ouvrir le parasol?

— Mais oui. Où va-t-on le mettre?

— Ici, près de la tente.

— Un peu de musique, à présent. Voici le poste de radio.

— Peut-on le faire marcher?

— Oui, mais il ne faut pas l'abîmer. Il suffit de tourner le bouton. Écoutez...

— Eh là! dit un merle en se posant sur une branche, il y a de la musique par ici. Moi, je trouve ça drôle.

Dans le petit bois, tous les oiseaux se taisent.

Un lièvre, occupé à grignoter une tige de pissenlit, lève le nez, dresse l'oreille.

Le Carré-du-Petit-Bois est un coin épatant.

Ici on peut faire de la gymnastique à son aise. Par exemple, jouer à saute-mouton, marcher à quatre pattes ou bien faire la culbute.

Savez-vous faire la culbute? Regardez comment il faut s'y prendre :

— Un, deux, trois, et voilà!

Quel plaisir de se rouler dans l'herbe!

Martine préfère courir après les papillons à l'entrée du champ de blé.

En voici un bleu, un grenat avec des taches noires sur les ailes, un jaune qui danse dans le soleil.

Parfois, l'un d'eux se pose sur un bleuet. Martine s'approche doucement, doucement... Elle va l'attraper...

Trop tard! Il s'est envolé.

Maman frappe des mains.

— Nous allons préparer le dîner.

Jean va chercher de l'eau à la fontaine dans sa cruche de plastique. Papa allume le réchaud. Martine étale la jolie nappe rouge, prépare les assiettes et les gobelets. Jamais elle n'a travaillé d'aussi bon cœur. C'est tellement amusant de pique-niquer !

— A table, les enfants! dit le papa de Martine.

Chacun s'assied sur l'herbe. Le dîner est excellent, et l'on mange de bon appétit.

— Voilà des campeurs qui se régalent, disent les moineaux espiègles. Allons-y voir. Peut-être qu'ils nous laisseront quelques miettes?... Tiens, ce petit chien n'a pas l'air content du tout.

— Attendez qu'il s'en aille, dit le plus vieux de la bande. Il pourrait se fâcher. Vous n'avez donc point de patience?

Après le dîner, Martine et Jean vont pêcher à la rivière avec leur papa.

Si vous saviez comme c'est reposant de se promener en barque au milieu des nénuphars!

Martine regarde une araignée qui s'amuse à courir sur l'eau. Là, dans les roseaux, un poisson vient d'attraper une mouche.

Martine, Jean et leurs parents ont passé la nuit sous la tente. Le lendemain matin, quand le soleil se lève, ils dorment encore tous les quatre.

C'est l'heure où les oiseaux secouent leurs plumes.

— Ohé, les amis, il est temps de s'éveiller!

— Cocorico! Cocorico!

C'est le coq de la ferme qui est perché sur la voiture.

Et voici le petit veau qui voudrait bien savoir ce qu'il y a dans la tente.

Patapouf, lui, est éveillé depuis longtemps. Pensez donc, quand on a des fourmis dans les pattes, ce petit air frais vous donne envie de gambader. L'herbe est toute luisante de rosée.

— Hep là-bas, lapin! Où vas-tu si vite? Attends un peu que je coure après toi!

— Je n'ai pas le temps. Il faut que j'aille déjeuner!

Impossible de dormir avec un tel remue-ménage dans la campagne.

Mieux vaut se lever de bon matin.

— Allons chercher le lait à la ferme, dit Martine à son frère Jean.

La route traverse les champs. L'air embaume le trèfle et la luzerne. L'alouette monte droit dans le ciel éblouissant de soleil.

Et voici qu'en chemin, Martine et Jean rencontrent Picot, le hérisson, qui fait sa promenade matinale.

Au retour de la ferme, Martine et son frère font leur toilette au bord de la rivière. Thérèse les accompagne.

— Brr... que l'eau est froide!

— Je vais lessiver la robe de ma poupée, dit Martine. Je la mettrai sécher au soleil.

Paf! Voilà Patapouf dans l'eau! Heureusement, il nage comme un poisson!

— Holà là, comme il nous éclabousse!

Mais que se passe-t-il? Pendant l'absence de Martine, le petit veau a bu tout le lait du déjeuner.

Patapouf se met à lui mordre la queue pour lui donner une correction.

— Wa, wa, qu'est-ce que tu as fait là?

— Vous parlez d'une histoire pour un litre de lait, se dit le petit veau.

Et là-dessus il détale à travers la prairie. Tout le monde court après lui.

On le rattrape. On l'attache au bout du pré. Voici une corde, un pieu, un maillet...

— Maintenant, tu resteras tranquille, n'est-ce pas? Sinon, le fermier viendra te chercher et t'enfermera dans l'étable.

Ainsi finit cette belle histoire. Le petit veau ne fera plus de bêtises. Et l'on s'amusera bien toute la journée dans le Carré-du-Petit-Bois.

Imprimé en Belgique par Casterman, s.a., Tournai.
D. 1974/0053/109.